D0102187

Directeur général : John Owen
Président : Terry Newell
Éditeur : Sheena Coupe
Direction éditoriale : Rosemary McDonald
Direction artistique : Sue Burk
Conception : Juliet Cohen, Gary Fletcher, Kylie Mulquin
Coordination recherche iconographique : Esther Beaton
Recherche iconographique : Amanda Parsonage, Lorann Pendleton, Fay Torres-Yap
Directrice de fabrication : Caroline Webber
Assistante de fabrication : Kylie Lawson
Responsable des droits internationaux : Stuart Laurence

Textes : Judith Simpson

Illustrations : Helen Halliday, Adam Hook, Richard Hook, Keith Howland, Janet Jones, David Kirshner, Mike Lamble, Connell Lee, Peter Mennin, Paul Newton, Steve Trevaskis

Conseillers éditoriaux :
Dr David Hurst Thomas
Conservateur, département Anthropologie,
American Museum of Natural History, New York

Lorann Pendleton
Conservateur assistant, département Anthropologie,
American Museum of Natural History, New York

Édition française :

Édition : Jean-Robert Masson
Adaptation : Françoise Fauchet

ISBN : 2-09-277230-9
Numéro d'éditeur : 10105294
Dépôt légal : septembre 2003

Composition : PFC-Dole
Imprimé en Chine

LES CLÉS DE LA CONNAISSANCE

Les Indiens d'Amérique

adapté par Françoise Fauchet

NATHAN

Sommaire

• LES HOMMES •

• LES TRANSPORTS •

• LES MOYENS DE SUBSISTANCE •

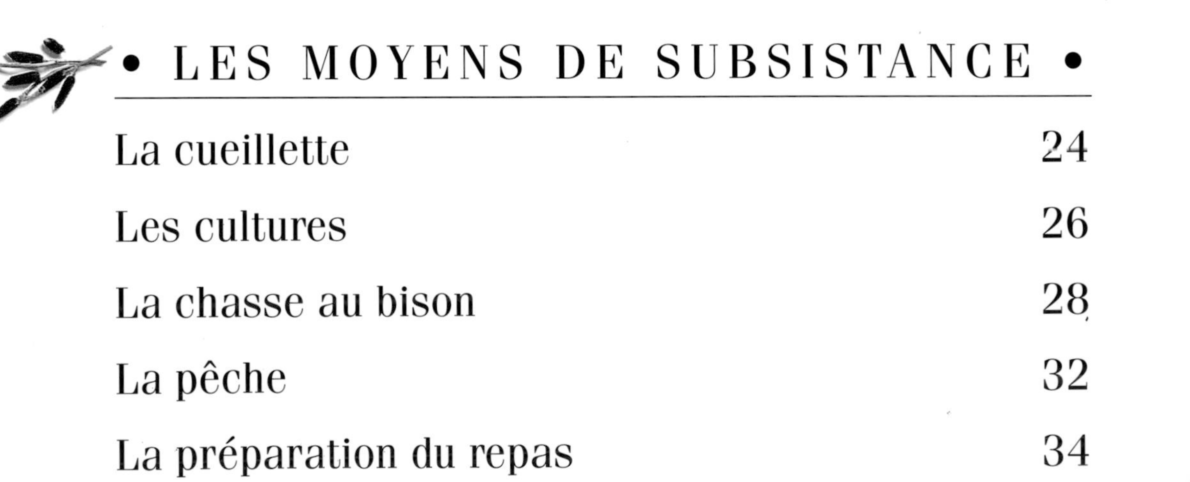

• L'HABITAT •

• LES RITES ET LES CÉRÉMONIES •

• UN MONDE BOULEVERSÉ •

D'où venaient-ils ?

Différents contes merveilleux retracent les origines des Amérindiens. Selon certains, Coyote les créa en les sculptant dans la boue, d'autres racontent que Corbeau les fit sortir d'une palourde afin de rompre sa solitude. Pour les archéologues, les premiers hommes arrivèrent en Amérique il y a au moins 15 000 ans. Par petits groupes, ils quittèrent l'Asie durant la période glaciaire en suivant les grands ruminants le long d'une langue de terre découverte par la baisse du niveau des mers. Lors de la fonte des grands glaciers, ce passage, qui forme l'actuel détroit de Béring, fut ensuite immergé. Les hommes poursuivirent leur lent périple vers le sud, bravant la nature hostile. Munis de simples lances, ces chasseurs expérimentés se nourrissaient de mammouths laineux et de bisons à longues cornes. Mais après la disparition de ces bêtes gigantesques, ils durent se contenter de petit gibier et de cueillette.

OUTILS
Les Indiens dépeçaient le gros gibier à l'aide de couteaux effilés en pierre ou en os. Ensuite, ils grattaient la peau avec un racloir pour détacher la viande et la toison.

MASQUE DE CHAMAN
Ce masque, sculpté il y a des milliers d'années par un artiste de l'Arctique, était porté par le chaman (guérisseur) lors des rites destinés à invoquer la protection des esprits contre la faim et la maladie.

Mythe de la Création

Une légende iroquoise raconte que, tombée de sa demeure, la Femme-Ciel fut conduite par des oiseaux dans une île bâtie par un rat musqué avec de la boue et une carapace de tortue. L'île grandit, formant la Terre, et la Femme-Ciel mit au monde une petite fille.

POUR LA CHASSE ET LE COMBAT
Les premiers Indiens étaient armés de lances aux pointes acérées, en pierre taillée, et de solides massues en os de baleine.

LA TRAVERSÉE DU DÉTROIT
Aujourd'hui, la Sibérie et l'Alaska sont séparés par le détroit de Béring. Mais durant la période glaciaire, la baisse du niveau des eaux permit aux troupeaux migrateurs et aux chasseurs de traverser sur la terre ferme.

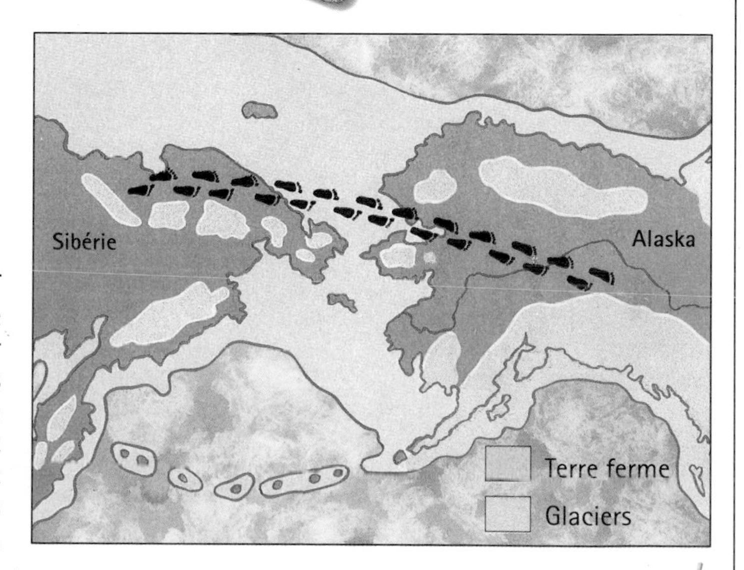

Pour en savoir plus, rendez-vous à la page *La chasse au bison*

Où vivaient-ils ?

Les Indiens se dispersèrent dans toute l'Amérique du Nord, modelant leur vie quotidienne au gré des conditions naturelles des régions où ils s'établirent. Chaque tribu adopta ainsi des coutumes différentes. Sur la côte Nord-Est, les Saumon-et-Cèdre bâtirent des maisons en bois et se nourrirent de poisson, comme leurs voisins du Plateau. Les Inuits (Eskimos) chassèrent l'ours blanc dans la toundra et la baleine dans les eaux glacées de l'Arctique. Dans le Subarctique, le caribou subvenait à presque tous les besoins, alors que le bison était la principale ressource des Grandes Plaines. Contrairement aux tribus installées sur les terres arides du Grand Bassin, celles qui jouissaient du doux climat de Californie ne manquaient de rien. Dans les régions boisées du Nord-Est et des Grands Lacs, les peuples nomades sillonnaient les rivières, défrichant çà et là pour cultiver le maïs et le tabac. Plus sédentaires, les habitants du Sud-Ouest choisirent de devenir fermiers.

Femme nootka de la côte Nord-Ouest

Femme kalispel du Plateau

Guerrier ute du Grand Bassin

Homme-médecine blackfoot des Grandes Plaines

Homme hupa de Californie

Jeune navajo du Sud-Ouest

PAYSAGE DU SUD-OUEST
Dans l'aride Sud-Ouest, les Indiens mangeaient les fruits de ces immenses cactus, appelés saguaros (cierges géants).

ARCTIQUE

Homme nunivagmiut
de l'Arctique

SUBARCTIQUE

SUD-EST

FORÊTS
Les forêts, nombreuses et denses, fournissaient le bois nécessaire à la fabrication des canoës, des armes, des récipients et autres objets.

Guerrier cree
du Subarctique

Guerrier sauk
du Nord-Est

Guerrier séminole
du Sud-Est

La Langue des Signes

La multiplication des ethnies entraîna l'apparition de langues différentes. Afin de communiquer avec leurs voisins, les tribus des Grandes Plaines inventèrent la langue des signes. À l'aide de simples gestes de la main, les chefs approuvaient les traités de paix, les guerriers se renseignaient mutuellement sur les allées et venues du gibier, et les fermiers mandans échangeaient avec les Sioux leur excédent de maïs contre des peaux de bison.

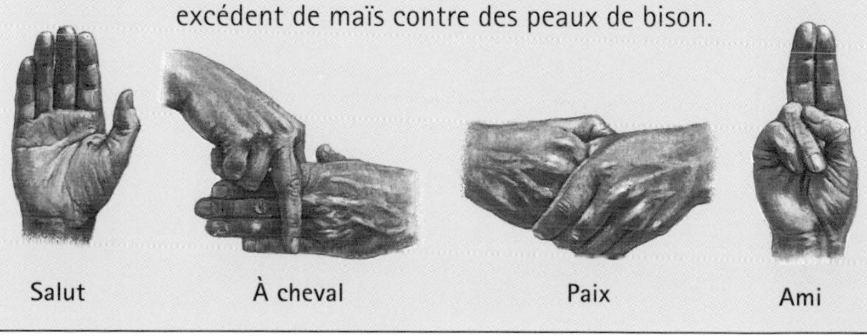

Salut — À cheval — Paix — Ami

Pour en savoir plus, rendez-vous à la page *La vie au village*

Comment s'habillaient-ils ?

S'ils aimaient les belles parures, les Indiens s'habillaient simplement au quotidien. Adaptés au climat, les vêtements étaient naturellement différents dans les plaines battues par les vents, les glaces de l'Arctique, les forêts humides ou le désert aride, mais jamais ils ne collaient au corps afin de ne pas gêner les mouvements : pagnes, chemises, tuniques et jambières pour les hommes, jupes et robes pour les femmes. En hiver, on se couvrait de châles et de couvertures. Les animaux fournissaient la peau pour le tissu, les tendons pour le fil et les os pour les aiguilles. Dans le Nord-Est, un orignal suffisait à vêtir une personne, dans le Subarctique, il fallait un caribou pour faire une veste, mais la tunique d'un homme du Grand Bassin nécessitait une centaine de peaux de lapin. Lorsque le gibier manquait, on tissait des fibres végétales, comme les tiges d'ortie ou l'écorce de cèdre.

TENUES D'APPARAT
Hommes et femmes portaient des tenues de cérémonie en daim souple, frangées et brodées de piquants de porc-épic. La coiffure et la lance de guerre du brave étaient ornées de queues d'hermine et de plumes d'aigle. Ces dernières témoignaient de son courage dans les combats au corps à corps.

SE PROTÉGER LES YEUX
Pour se protéger les yeux des intenses reflets du soleil sur la neige, les Inuits (Eskimos) portaient des lunettes taillées dans de l'ivoire de morse.

CONTRE LE FROID
Hommes, femmes et enfants, tous les Indiens de l'Arctique portaient des pantalons, des anoraks, des bottes et des moufles imperméables en peaux retournées de caribou et de phoque. Ci-contre, la mère assouplit une peau en la mâchonnant, tandis que le pere sculpte l'ivoire à l'aide d'un foret à archet.

CHAUSSURES
Les femmes des Plaines cousaient des mocassins en cuir à semelle souple ou dure qu'elles ornaient de perles et de piquants de porc-épic teints.

VANNERIE
Tout en berçant son petit-fils, cette grand-mère tresse un panier avec des bandes d'écorce de cèdre humidifiées. Ses vêtements sont aussi en écorce. Le cèdre était l'une des principales fibres végétales utilisées sur la côte Nord-Ouest.

Matières et Textiles

Pour confectionner leurs vêtements, les Indiens utilisaient les animaux et les plantes qui les entouraient.

- Vêtements en fourrure de caribou, de phoque ou d'ours blanc et peau de daim ou de bison
- Vêtements en coton
- Vêtements en peaux et fibres végétales

Pour en savoir plus, rendez-vous à la page *Les longues marches*

La vie des enfants

Jusqu'à l'âge de un an, les enfants demeuraient sur le dos de leurs mères, emmitouflés dans un berceau dorsal. Oncles, tantes, parents et grands-parents leur enseignaient ensuite les coutumes de la tribu : la cuisine, la couture, le tannage des peaux, la poterie, la vannerie et la broderie pour les filles, la fabrication des outils et des armes, la chasse et le combat pour les garçons. Ce qui ne les empêchait pas de s'amuser. L'hiver, ils dévalaient les pentes enneigées sur des luges faites de côtes de bison. À la puberté, on organisait en leur honneur de grandes cérémonies, lors desquelles ils arboraient de nouvelles tenues, dansaient et recevaient un nouveau nom. Chez les Apaches, on couvrait les filles de pollen de scirpe ; en Alaska, on leur tatouait le visage. Puis elles rejoignaient les femmes de la tribu, alors que les garçons devaient encore prouver leur courage. Pour devenir de vrais braves, il leur fallait blesser ou tuer un ennemi.

BOURSES OMBILICALES
Avec le cordon ombilical des nouveau-nés, certaines tribus confectionnaient de petits sacs perlés, en forme de lézard ou de tortue, censés assurer longue vie aux nourrissons.

ENTRAÎNEMENT
Chez les Sioux, les garçons apprenaient d'abord le tir à l'arc sur des cibles fixes, avant de s'essayer sur des lièvres.

À LA BELLE ÉTOILE
Comme tous les petits Indiens, les garçons et les filles du Grand Bassin aimaient qu'on leur raconte des histoires. À travers les mythes et les légendes, ils apprenaient l'origine et les coutumes de leur tribu.

VÊTEMENTS CHAUDS
Sur l'Île St. Laurent, dans l'Arctique, les enfants portaient des anoraks en peau de renne retournée. Les garçons avaient le haut du crâne rasé, mais les filles avaient les cheveux longs.

Le Choix des Prénoms

Souvent, le nom des enfants n'était pas choisi par les parents, mais par les proches ou les anciens de la tribu. La mère et les sœurs du père des bébés hopis venaient apporter des cadeaux et proposer des noms 20 jours après la naissance. Certains nourrissons inuits portaient des dizaines de noms car on leur en donnait un chaque fois qu'ils pleuraient ! Chez les Séminoles, les jeunes guerriers recevaient un nouveau nom lorsqu'ils avaient fait preuve de courage au combat.

Enfant séminole

BERCEAU DORSAL
Ce berceau dorsal cheyenne en coton orné de perles était solidement fixé sur une planche. La mère pouvait ainsi confortablement porter son enfant sur le dos.

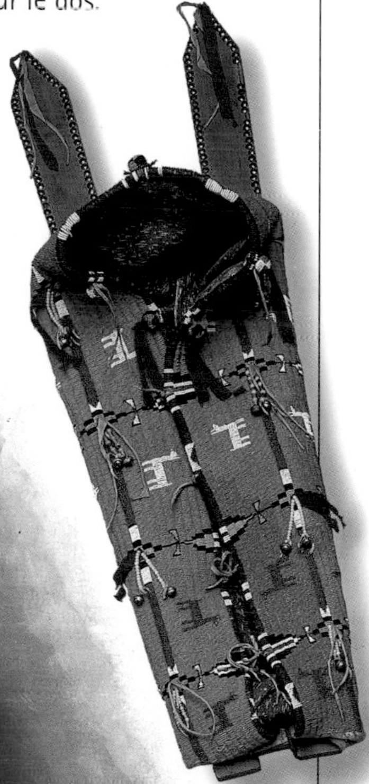

COLLIER NUPTIAL
Ce collier en argent et en turquoise fut réalisé par un père zuñi pour sa fille. Le motif traditionnel en fleurs de courge symbolise une mère entourée de ses nombreux enfants.

• LES HOMMES •

Le mariage

Dans certaines tribus, les couples commençaient leur vie commune par un simple échange de cadeaux. La jeune mariée (souvent à peine âgée de 13 ans) emménageait ensuite chez son mari, ou l'inverse. Dans le Subarctique, les époux construisaient ensemble leur wigwam. La cérémonie du mariage variait beaucoup selon les tribus et les régions. Les riches Tlingits de la côte Nord-Ouest organisaient de grandes fêtes et s'offraient de somptueux présents. Dans les Plaines, le garçon courtisait sa bien-aimée en lui jouant des airs de flûte. Le soir, ils bavardaient ensemble devant le tipi de la jeune fille, se protégeant des regards sous une couverture. Plus tard, le fiancé, s'il était riche, offrait des chevaux à la famille de son épouse. Chez les Hopis, les mères des promis scellaient l'union en se lavant les cheveux dans le même récipient.

MARIÉE WISHRAM
Chez les Wishrams du Plateau, la mariée portait une coiffe de dentales bordée de perles et de pièces de monnaie.

PRÊTE POUR LE MARIAGE
Chez les Hopis, les filles en âge de se marier portaient une coiffure très élaborée.

CADEAU DE MARIAGE
Afin de leur souhaiter une longue et heureuse union, les Menominees de la région des Grands Lacs offraient un couple de poupées aux jeunes mariés.

PAR LES EAUX
Mariée kwakiutl arrivant au village de son futur époux dans le canoë familial.

PANIERS DE NOCE
Chez les Navajos, les paniers appartenaient toujours à la mariée. Lorsqu'il s'installait dans la maison de son épouse, l'homme gérait ses biens mais ne les possédait pas.

JEUNE MARIÉ HOPI
Le jour de son mariage, le garçon hopi se parait de colliers de perles.

MARIAGE HOPI

La future mariée hopi passait d'abord trois jours à moudre le grain chez ses beaux-parents. Après la célébration, elle attendait sa tenue de mariage, tissée par son futur mari et les hommes de sa belle-famille. Elle rentrait ensuite chez elle avec sa parure rangée dans un étui en roseau.
Les femmes étaient enterrées dans leur robe de mariée afin d'être convenablement vêtues pour rejoindre le monde des esprits.

Ceinture de mariée

Sports et jeux

Le jeu de crosse et de balle (ci-contre) servait souvent à régler les différends ou à solliciter les esprits. C'était un sport rapide et violent que les Indiens du Sud-Est surnommaient « le petit frère de la guerre ». Les joueurs, encouragés par les spectateurs misant fourrures, peaux et bibelots sur le résultat de la compétition, subissaient souvent des blessures graves, parfois mortelles.

Le sport permettait aux hommes de développer la force, le courage, l'équilibre, la rapidité et l'acuité visuelle nécessaires à la chasse et au combat. Ils pratiquaient par ailleurs la course, à pied, à cheval ou en canoë, le lancer du javelot et le tir à l'arc. Parfois, les femmes participaient aussi à ces activités. Mais par-dessus tout, les Indiens aimaient les jeux de hasard, tels que deviner la position de noyaux de pêche ou de coquilles de noix retombant dans un bol, la main renfermant un os décoré ou le mocassin contenant une petite pierre.

JEUX DE CARTES
Les Apaches, hommes et femmes, aimaient jouer aux cartes. Celles-ci étaient peintes sur des morceaux de cuir brut.

Le Savais-Tu ?

Les femmes sioux pariaient sur le lancer de dés en os, en dents de castor ou autre, gravés et peints de motifs d'araignées, de tortues ou de lézards.

BALLON
Dans l'Arctique, le jeu de balle au pied se jouait avec un ballon en cuir garni de poils de caribou.

Patol

Ce jeu de hasard se joue à deux ou quatre, avec des jetons appelés « chevaux », des baguettes en guise de dés et des pierres disposées en cercle ou en rectangle. Le patol était très populaire dans le Sud-Ouest où l'on jouait dehors, sous le regard passionné des voisins.

BILBOQUET
Le jeu consistait à enfiler la boucle de la cordelette fixée aux os de patte de chevreuil sur l'aiguille en bois que l'on tenait dans la main.

JEU DE HASARD
Les bâtonnets étaient mélangés sous une étoffe, puis séparés en deux tas. Il fallait alors deviner celui qui contenait le bâtonnet à la marque particulière.

Cerceau

Lance

JEU D'ADRESSE
Le joueur devait envoyer sa lance à travers un cerceau roulant sur le sol. En atteignant le trou du milieu, il marquait le maximum de points.

Canoës et kayaks

Les bateaux servaient à pêcher, se rendre d'un territoire de chasse à l'autre, transporter les marchandises et se battre. Il s'agissait d'immenses troncs d'arbre dont on brûlait l'intérieur, de roseaux tressés ou de structures en bois recouvertes d'écorce de bouleau, collée à l'aide de gomme d'épicéa chauffée. Si les canoës convenaient mieux pour les eaux calmes, les embarcations munies d'une proue et d'une poupe relevées résistaient davantage à la force des vagues en mer. Dans le Nord-Ouest, les ornements de la proue des canoës de cérémonie reflétaient l'importance de la famille. L'ours terrifiant représenté ici est un villageois vêtu de son costume de danse. Les Chumashs de Californie naviguaient sur des barques en planches de pin, tandis que les Inuits (Eskimos) construisaient de légers kayaks, à une ou deux places, en peaux huilées et tendues sur une structure de bois flotté.

BATEAUX LONGS
La mise à l'eau de ce canoë, taillé dans un seul tronc, nécessitait 11 hommes.

BATEAUX DE CHASSE
Les Inuits traquaient les mammifères marins dans de rapides et silencieux kayaks.

PAGAIES
Le barreur manœuvrait une large godille. Les rameurs avaient des pagaies plus courtes et plus effilées, dont les motifs étaient assortis aux décorations du canoë.

BATEAU EN JONC
Les pêcheurs du nord de la Californie sillonnaient les lacs dans des pirogues faites de bottes de scirpe, une plante très répandue dans cette région.

CANOË EN ÉCORCE DE BOULEAU
Cousues ensemble, les fines plaques d'écorce de bouleau formaient un parfait revêtement, la résine naturelle empêchant qu'il ne se détende ou ne rétrécisse.

Construction d'une Pirogue

Sur la côte Nord-Ouest, la mer représentait à la fois un vaste territoire de chasse et une route commerciale. Il existait deux types de bateaux différents pour naviguer dans la baie et sur l'océan.

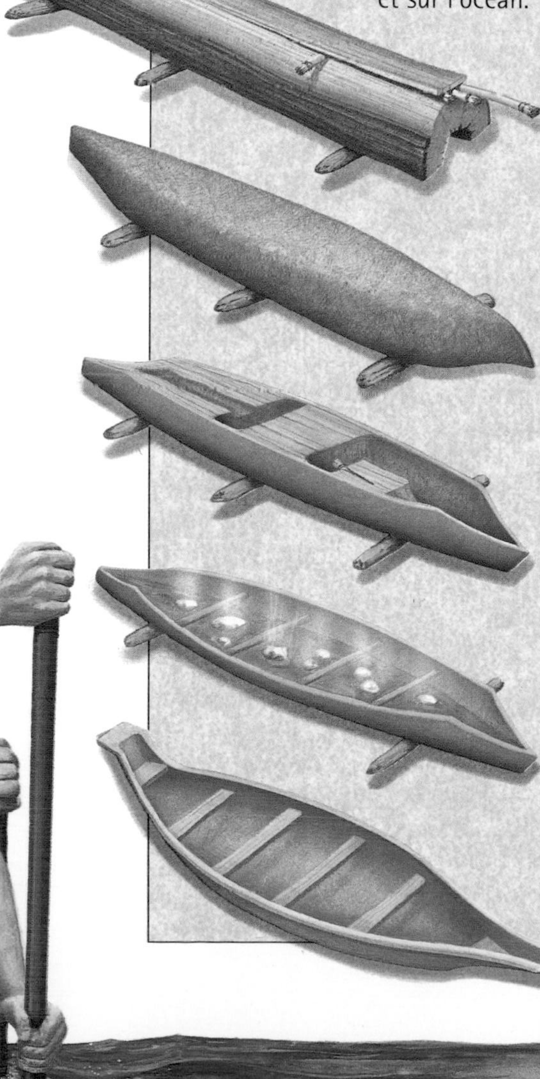

Le tronc du cèdre, divisé dans le sens de la longueur, était façonné à l'aide d'un outil en pierre.

Chaque côté était ensuite raboté à l'épaisseur requise.

L'évidement demandait de la patience et de la dextérité.

Assoupli avec de l'eau chauffée par des pierres, le bois était élargi à l'aide de bancs de nage.

Une fois la proue et la poupe solidement fixées, la coque était poncée et décorée.

CANOË MINIATURE
Contrairement aux pirogues grandeur nature dont le fond n'était pas décoré, ce modèle réduit est entièrement gravé.

BATEAU EN PEAUX DE BISON
Les femmes mandans utilisaient des canots ronds en peaux de bison tendues sur des branches de saule.

CHIENS DE TRAÎNEAU

Dans l'Arctique, on dressait des huskies pour tirer les traîneaux, composés d'une plate-forme en bois flotté ou en ramure de caribou posée sur des patins en bois ou en os de baleine. Les Netsiliks utilisaient parfois des peaux roulées pour les patins et des poissons gelés pour les traverses.

• LES TRANSPORTS •

Les longues marches

Dans leur éternelle quête de nourriture, les Indiens couvraient de vastes distances. Les Apaches peignaient leurs mocassins de pollen de scirpe car, selon leurs croyances, cette plante sacrée guidait leurs pas sur le bon chemin. Les biens étaient transportés dans des paniers ou sur le dos, à l'aide de courroies de portage. Outre leur enfant, solidement emmailloté dans une écharpe ou un berceau dorsal, les femmes portaient les fardeaux les plus lourds, les hommes n'ayant souvent que leurs armes afin d'être prêts à tirer sur un gibier ou assurer la protection du groupe. Pour les lourdes charges, les peuples du Subarctique utilisaient des luges. Dans d'autres régions, les parflèches étaient tirés par des chiens attelés à des travois en bois. Plus tard, les chevaux et les poneys facilitèrent la vie de nombreuses tribus.

TRANSPORT DES ENFANTS

Les jeunes enfants, comme ce petit hopi, voyageaient sur le dos de leur mère. C'était une solution confortable et sûre pour les longs trajets, surtout en l'absence de luges et de traîneaux.

ATTELAGES

Des séparateurs et des tourillons ornés d'ivoire évitaient que les courroies ne s'enchevêtrent.

TRAVOIS

Un chien robuste pouvait tirer une charge équivalente à deux caisses moyennes remplies de vêtements.

Le Savais-Tu ?

Une légende raconte que les paniers marchèrent tout seuls jusqu'au jour où Coyote, l'espiègle esprit loup, décida qu'ils avaient l'air stupide. Dès lors il les fit porter par les femmes.

Les Raquettes

Ces larges semelles en forme de pattes d'ours ou de queues de castor étaient parfaites pour les longs voyages dans la poudreuse. Elles permettaient aux chasseurs du Subarctique de suivre caribous et autres gros gibiers sans s'enfoncer dans la neige. Le tamis, fait de bandes de peau de caribou humidifiées et tendues sur un cadre souple en bois de bouleau, se resserrait et s'allégeait en séchant.

MOCASSINS
Dans le Sud-Est, les Séminoles confectionnaient leurs mocassins en découpant une peau de daim souple, cousue sur le dessus.

MARCHE ESTIVALE
L'été, les Eskimos cueillaient des herbes qu'ils tressaient en forme de chausses parfaitement ajustées au pied.

LES HUSKIES
Lorsqu'ils n'étaient pas attelés à un traîneau, ils aidaient les chasseurs à pister les phoques.

Pour en savoir plus, rendez-vous à la page *Le tipi*

Chevaux et poneys

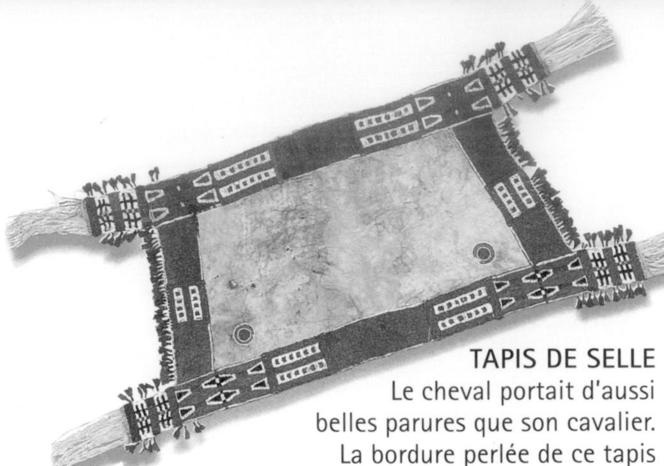

TAPIS DE SELLE
Le cheval portait d'aussi belles parures que son cavalier. La bordure perlée de ce tapis représente de longues heures de travail.

Disparus depuis la période glaciaire, les chevaux furent réintroduits par les Espagnols au XVIe siècle. Leur rapidité modifia les habitudes de chasse et de combat des Indiens des Plaines. Surnommés « Chiens-Esprit » ou « Chiens-Médecine », ils étaient beaucoup plus robustes et véloces que les chiens et permettaient à la tribu entière de suivre les troupeaux de bisons. Le guerrier-chasseur entretenait des liens uniques avec son cheval : lui seul pouvait le dresser et le monter, le baigner l'été, le couvrir de peaux de bison l'hiver et l'attacher à côté de son tipi. Les Comanches excellaient dans le dressage des chevaux sauvages. Les femmes comanches participaient à la chasse à l'antilope et leurs enfants montaient seuls, dès l'âge de cinq ans. Éleveurs d'appaloosas et de poneys indiens, les tribus du Plateau se spécialisèrent peu à peu dans le commerce des chevaux.

FOUETS ET CRAVACHES
La lanière de cuir de cette cravache est fixée sur un manche en bois d'élan.

CORTÈGE D'ÉTRANGERS
Cette peinture rupestre navajo représentant un moine espagnol et son escorte date du XVIe siècle.

LA SELLE
Les hommes montaient à cru, mais les femmes utilisaient une selle et des étriers. Les femmes crows ornaient les leurs de perles.

Pommeau

Étrier

SACOCHES DE SELLE
Ces sacs en peau de daim cousus sur les côtés étaient fixés au pommeau de la selle.

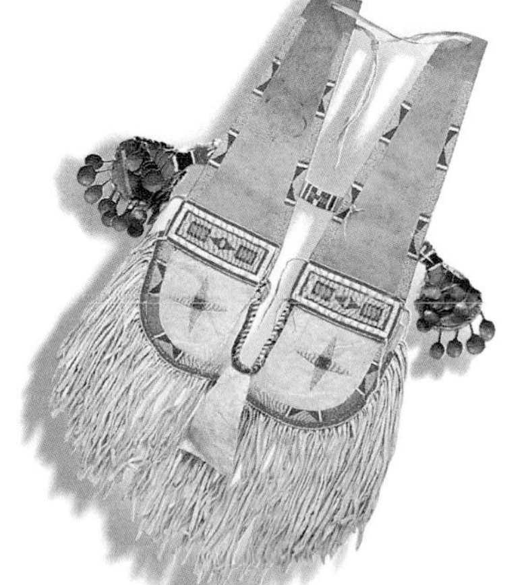

TROUSSE-QUEUE
Afin de ne pas glisser, la selle était maintenue par une croupière passée sous la queue du cheval.

Les Peintures de Guerre

Les réactions du cheval pouvaient aussi bien signifier la vie sauve que la mort des guerriers des plaines. Il devait supporter le bruit, se montrer vif, capable de faire brusquement demi-tour et d'obéir au doigt et à l'œil. Partageant les honneurs de la bataille avec son cavalier, il portait les mêmes symboles peints (ci-dessous). La crinière et la queue, coiffées et teintes, étaient ornées de plumes d'aigle et de mèches de cheveux.

Poney des Plaines

Appaloosa

Pour en savoir plus, rendez-vous à la page *La vie dans les réserves*

• LES MOYENS DE SUBSISTANCE •

La cueillette

À la belle saison, la plupart des tribus se mettaient en quête de graines, baies, noix et racines. Les Indiens du Grand Bassin se régalaient de jeunes pousses de massette, sachant qu'en hiver il leur faudrait se contenter des pignons ramassés à l'automne. Une invasion de sauterelles améliorait parfois l'ordinaire. Les chasseurs ramenaient toutes sortes de gibier : rats, souris, chenilles, lézards, mais aussi lièvres et cerfs. Pour tromper les canards sauvages, ils fabriquaient des leurres à l'aide de joncs et de plumes, puis saisissaient leur proie ou l'abattaient d'une flèche. Si le territoire de chasse en Californie s'étendait des montagnes au littoral, les Indiens de cette région ramassaient aussi des glands pour les moudre et faire de la farine.

LA RÉCOLTE DES GRAINES Les Indiennes de Californie tapaient sur les buissons afin de faire tomber les graines mûres dans leur panier.

JARDINS POTAGERS
De petits monticules de terre, semblables aux dessins d'une gaufre, retenaient l'eau puisée dans la rivière voisine. Les Zuñis cultivaient ainsi des melons, des herbes, des tomates, des piments et des oignons.

Tournesol

• LES MOYENS DE SUBSISTANCE •

Les cultures

Les terres les plus fertiles se trouvaient dans le Sud-Est, le Sud-Ouest pour une part et à la limite orientale des Plaines. On y cultivait avec ingéniosité du maïs, du blé, des fruits et des légumes : le maïs servait ainsi de support aux haricots plantés juste à côté. Les fermiers savaient irriguer, éloigner les oiseaux, éviter que les souris ou la moisissure n'abîment les stocks de grain et épargner le sol. Croyant que le sort de leurs récoltes dépendait de la volonté d'êtres surnaturels, ils célébraient des rites destinés à se concilier ceux-ci. Dans le Sud-Ouest, les Papagos buvaient le suc des saguaros et dansaient pour appeler la pluie. Non loin, les Pueblos racontaient comment la Femme Maïs Bleu et la Vierge Maïs Blanc avaient apporté le maïs sur la Terre. Aujourd'hui encore, les nouveau-nés pueblos reçoivent des épis de maïs en guise de porte-bonheur.

PRODUITS DE LA NATURE
À l'origine, les plantes qui donnaient des fruits et des graines, telles les calebasses, les citrouilles, les tournesols et le maïs, étaient sauvages.

Calebasse séchée

CHUTE MORTELLE

Les chasseurs préhistoriques poussaient les bisons vers un ravin où ceux-ci allaient s'écraser. Un célèbre précipice porte le nom de Tête-Fracassée.

COIFFE À CORNES

Lorsqu'ils dansaient pour attirer les troupeaux, les Gros Ventres portaient une coiffe en peau de bison, ornée de cornes, de plumes d'aigle et de nattes en crin de cheval.

La chasse au bison

Le bison était la principale ressource des Indiens des Plaines. Pour attirer les troupeaux, ils célébraient des rites complexes en utilisant des pierres en forme de bison, des crânes sacrés et des balles en peau d'estomac garnies de poils. Qu'ils l'aient poussée au fond d'un ravin, abattue d'une flèche, transpercée d'un coup de lance ou traquée dans la neige, les chasseurs remerciaient toujours les esprits après avoir tué l'une de ces bêtes géantes. Rien de ce frère qui, selon eux, leur avait sacrifié sa vie n'était gaspillé. La peau servait à se vêtir et s'abriter, les excréments à se chauffer et la graisse à s'éclairer. Les cornes faisaient office de cuillers, les os d'outils et de jouets, les entrailles de récipients et les sabots permettaient de fabriquer des hochets et de la colle. Mélangée à des baies et à de la graisse de rognon, la viande séchée constituait un plat nourrissant, le pemmican. Au cours d'une journée de chasse, la tribu pouvait ainsi amasser des réserves pour un an.

La Saison de la Cueillette

Chaque tribu savait trouver dans sa région fruits, noix et baies. Une partie de la récolte était séchée pour l'hiver.

PANIERS D'OSIER
Les Indiens rangeaient et transportaient les aliments dans des paniers, beaucoup plus légers et moins fragiles que les récipients en terre.

UNE PROIE DIFFICILE
Lorsqu'ils partaient à la chasse au mouton des montagnes Rocheuses, hommes, femmes et enfants devaient se grouper afin de prendre au piège cet agile animal.

Pour en savoir plus, rendez-vous à la page *La chasse au bison*

Massue

LA PÊCHE AU FLÉTAN

Les Tlingits attrapaient les flétans à l'hameçon, puis les assommaient avant de les hisser dans leur bateau.

LA CHASSE AU MORSE

Dangereuse mais fructueuse, elle rapportait de la viande, de la peau pour les vêtements et les bateaux, et de l'ivoire pour les ustensiles et les objets décoratifs.

Hameçon

• LES MOYENS DE SUBSISTANCE •

La pêche

À la fin du printemps, les saumons remontent les cours d'eau pour pondre. Pensant qu'ils venaient spécialement pour eux, les Indiens du Nord-Ouest les attrapaient à l'aide de filets et de nasses. Ils offraient des prières à leur première prise, la faisaient griller et la partageaient avec le reste de la tribu, puis rejetaient les arêtes à l'eau, où, croyaient-ils, le poisson reprenait vie. Dans l'océan, ils pêchaient également des baleines, des phoques, d'énormes flétans, des morues, des esturgeons, des eulachons, dont l'huile alimentait les lampes, ainsi que toutes sortes de coquillages. Sur les Grands Lacs, la pêche à la lance se pratiquait en canoë la nuit, à la lueur des torches, mais on utilisait des filets et des nasses le jour. Certains peuples du Sud-Est puisaient leurs protéines dans le poisson, les tortues marines, les alligators et la viande de cerf. L'hiver, lorsque plus aucune plante ne poussait, les Inuits se nourrissaient de phoques et de morses qu'ils harponnaient par des trous creusés dans la banquise.

LE SAVAIS-TU ?

Jamais les Inuits ne mangeaient du poisson et du gibier au même repas, ni n'utilisaient de bois flotté pour faire cuire le caribou, car les mondes marin et terrestre ne devaient pas se mélanger.

PRIS AU PIÈGE
Dissimulé sous une peau de loup, un habile archer parvenait à leurrer et abattre plusieurs bêtes avant de voir s'enfuir le reste du troupeau.

La Société des Bisons

Lors des danses rituelles, les guerriers mandans, membres de la Société des Bisons, se couvraient de peintures de guerre et simulaient le combat en brandissant lances, massues, boucliers et fusils. Après avoir fait le serment de ne jamais battre en retraite, les chefs dansaient, masqués de têtes de bison.

Fouet en queue de bison

Étonnant mais vrai

Si les Américains disent « buffalo » pour bison, c'est parce que les premiers explorateurs français utilisaient le mot « bœuf » pour désigner cet animal.

PLANTATIONS DANS LE DÉSERT
Le maïs était semé dans des trous profonds afin que les racines puisent l'humidité du sol.

CHAMP DE MAÏS HOPI
Les Hopis vivaient dans des régions arides mais leurs cultures étaient adaptées à cet environnement désertique.

MATÉRIEL AGRICOLE
Les Hidatsas utilisaient des houes faites d'omoplates de bison et des râteaux en bois de cerf, fixés par des tendons à un manche en bois.

Courge

Maïs séché

Le Temps des Semences

En février, les Hopis célébraient la danse du Haricot. Durant 16 jours, les danseurs masqués priaient les esprits katchinas de la pluie pour avoir de bonnes récoltes. Les enfants apprenaient ainsi à connaître leur religion.

Pour en savoir plus, rendez-vous à la page *La préparation du repas*

CALIBRAGE
DES FILETS
Pour mesurer les mailles, on enroulait la ficelle sur un calibre rectangulaire. Celui-ci est en bois d'orignal.

Pêche à la Baleine

Pour capturer cette dangereuse proie, les pêcheurs de l'Arctique se déplaçaient à bord d'une barque munie d'une seule voile, l'oumiak. Cette structure en os de baleine couverte de peaux de morse, imperméabilisée à l'aide de graisse de phoque, était beaucoup plus solide que le kayak. Les Eskimos s'attaquaient parfois à des baleines deux fois plus grandes que leur embarcation. Ils attrapaient aussi des bélugas, plus petits, pour leur peau, et des narvals pour leur huile.

Flotteur pour la pêche à la baleine

LES NASSES
Les Ingaliks du Subarctique les déposaient sous la glace. Les grandes, comme celle-ci, servaient surtout à appâter les lingues.

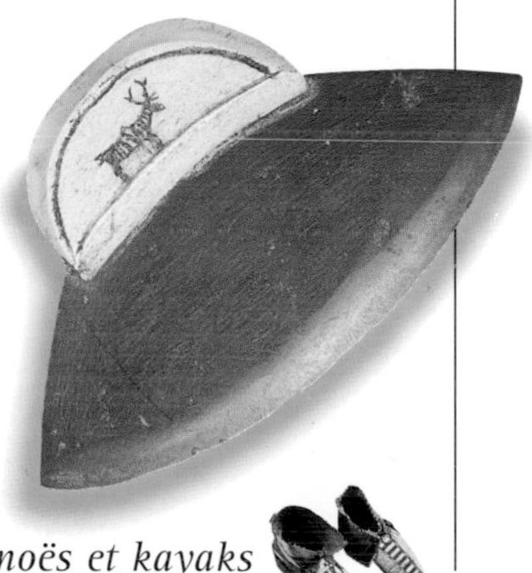

ULU
Les femmes découpaient la viande et le cuir à l'aide d'une lame d'ardoise fixée à un manche en os, en ivoire ou en bois, appelée ulu.

Pour en savoir plus, rendez-vous à la page *Canoës et kayaks*

La préparation du repas

PLAINES FERTILES
Les Indiens des Plaines manquaient rarement de nourriture. Ces femmes cheyennes préparent un ragoût à base de cerises sauvages pilées, de courge et de navet.

Les Indiennes ne connaissaient évidemment ni eau courante, ni gaz, ni électricité, ni réfrigérateur ni produits de supermarché. Elles passaient des heures à s'occuper des repas. Les filles aidaient leur mère dès leur plus jeune âge. Chez les Pueblos, le pain de maïs était cuit dans des fours en plein air. Dans le Nord-Ouest, les Tlingits préparaient leur ragoût en remplissant d'eau, de viande et de légumes leurs paniers en racine d'épicéa, dans lesquels elles déposaient des pierres chaudes pour faire bouillir l'eau. Les femmes des Plaines cuisinaient de la même manière dans des récipients en peau de bison. Les plats métalliques apparurent avec les Européens. Les Indiens ne mangeaient pas à heures fixes, mais dès qu'ils avaient faim, après une partie de chasse ou lorsqu'ils recevaient de la visite. La tradition voulait que tout le monde partage. Ainsi, même quand les provisions venaient à manquer, chacun recevait une part égale de nourriture. La plupart des tribus constituaient des réserves en prévision de l'hiver.

PIMENTS SÉCHÉS
Les piments rouges ajoutaient une note fortement épicée aux plats du Sud-Ouest. On les faisait sécher en les suspendant sur des fibres végétales ou des fils de coton.

CONSERVATION
En prévision de l'hiver, une partie du poisson, de la viande, du maïs, des fruits et des légumes était suspendue à des râteliers ou étalée sur des claies pour sécher au soleil.

RÉSERVES
Les aliments étaient conservés dans des paniers en osier ou en racines de carex, ornés de motifs réalisés à l'aide de plantes plus sombres ou de plumes de couleurs vives.

La Farine de Maïs

Chez les Pueblos et les Hopis, les jeunes femmes se réunissaient fréquemment pour moudre le maïs. Elles déposaient d'abord les grains sur un bloc de grès, le métate, puis les écrasaient à l'aide d'une pierre plus petite, appelée mano. Utilisant des pierres de plus en plus lisses, elles finissaient par obtenir une poudre très fine. Cette farine servait ensuite à préparer du pain, du gruau, des crêpes, des boulettes et une trentaine de plats différents.

Pour en savoir plus, rendez-vous à la page *La vie au village*

La vie au village

Dans les villages, chacun se sentait à l'abri du danger et du manque de nourriture. Si certains peuples menaient une vie sédentaire, d'autres changeaient de région avec les saisons. Les tribus du Subarctique se rendaient ainsi d'un camp à l'autre avec leurs tentes en peau de caribou, tandis que d'autres passaient l'hiver dans des maisons-fosses. En Alaska, les Eskimos s'enterraient à moitié, s'abritant sous des toits recouverts de tourbe, tandis que les Séminoles du Sud-Est, qui vivaient dans les marais, occupaient des huttes posées sur pilotis. Bâties en pierres et en adobe (boue séchée), les demeures des Pueblos du Sud-Ouest s'empilaient les unes sur les autres, tels les appartements d'un immeuble moderne. Les habitations des Amérindiens avaient des formes variées : cônes, dômes, triangles, carrés, rectangles, et s'appelaient chickee, hogan, igloo, tipi, wigwam, wickiup...

MAISONS RONDES
Les maisons mandans, construites sur les rives du Missouri, résistaient aux fortes pluies grâce à leurs formes arrondies.

VILLAGE PUEBLO
Les villages pueblos du Sud-Ouest formaient comme des ruches aux multiples alvéoles. On accédait par des échelles aux étages supérieurs et aux toits des maisons.

MAISONS IROQUOISES
Une maison longue pouvait accueillir jusqu'à 12 familles. Le rez-de-chaussée était séparé par des rideaux, l'étage supérieur servait de réserve.

Village du Sud-Est

Les Creeks vivaient sous de simples abris l'été et dans des huttes fermées l'hiver. La maison commune, ronde, pouvait accueillir plus de 500 personnes. Les membres de la tribu s'y réunissaient pour les cérémonies, les danses et les assemblées. On y logeait également les vagabonds et les vieillards.

TOTEMS
Les tribus de la côte Nord-Ouest, tels les Haïdas, habitaient dans des maisons en bois devant lesquelles s'élevait un mât totémique en cèdre figurant les emblèmes de la famille.

HUTTES EN BOIS
L'odeur sucrée du bois de séquoia et de l'écorce de cèdre éloignait les insectes.

Pour en savoir plus, rendez-vous à la page *Le tipi*

• L'HABITAT •

Le tipi

Les Indiens des Plaines vivaient dans des tipis. Ces tentes coniques, faites de peaux de bison cousues, étaient faciles à plier et à transporter lorsque la tribu devait partir à la recherche de nourriture ou fuir l'ennemi. Avant l'apparition du cheval, elles ne dépassaient pas la taille d'un homme car leur transport était assuré par les chiens de travois. Limité, l'espace intérieur était meublé de simples objets fonctionnels. Les peaux de bison offraient de confortables lits. Les dossiers en osier, appuyés contre des perches, formaient des chaises que l'on pouvait rouler aisément. En guise d'oreillers et de coussins, on utilisait les sacoches de selle, ou parflèches, en cuir brut. L'arrière du tipi, plus haut, était planté face au vent, l'entrée étant orientée à l'est, pour saluer le lever du soleil. Dans les plaines venteuses du Sud, les tipis des Sioux et des Cheyennes étaient soutenus par trois perches, tandis que ceux des Hidatsas, des Crows et des Blackfeets du Nord en possédaient quatre. Plus vastes, les tipis de cérémonie en comptaient davantage.

ORNEMENTS DE TIPI
À l'extrémité des perches, on attachait des lanières de cuir enveloppées de brins d'herbe et ornées de pompons.

Effets personnels
Servant à la fois de cuisine, de chambre, de salle de jeux, de lieu de réception et de remise, le tipi abritait tous les biens de la famille.

Symboles blackfeets
Pour se protéger de la maladie et du mauvais sort, les Blackfeets décoraient leurs tipis de motifs tels que des arcs-en-ciel ou des têtes de bison.

DANS LES RÉSERVES
Lorsque le gouvernement américain les contraignit à s'installer dans des réserves, les Indiens des Plaines regroupèrent leurs tipis par communauté tribale afin de préserver leurs traditions.

Le Campement

En forme de C, son ouverture était orientée à l'est. On y observait des règles strictes. Une porte ouverte était signe de bienvenue. Les hommes entraient par la droite, les femmes par la gauche. Les jeunes ne prenaient la parole qu'après y avoir été invités. On ne s'interposait pas entre le feu et une autre personne. Les visiteurs apportaient leurs propres bois et repartaient lorsque l'hôte se mettait à nettoyer sa pipe.

Vantaux de fumée
Deux perches permettaient de les ouvrir de l'intérieur.

Isolation
Afin de lutter contre l'humidité, les parois internes du tipi étaient tapissées d'une toile décorée.

Attaches
De simples épingles en bois de saule réunissaient les deux pans du tipi.

Entrée
De forme ovale ou triangulaire, elle était fermée par un rabat en peau.

Foyer
Le feu était placé sous l'ouverture du toit, le bois entassé près de la porte.

Aération
Maintenu par des piquets, le bas du tipi était relevé en été afin de laisser pénétrer l'air frais.

PEAU DE BISON
Une fois tannées et fumées les peaux devenaient souples et étanches. Certaines étaient peintes aux emblèmes du clan familial.

SCULPTURE MONUMENTALE
Sur les mâts totémiques, qui illustraient des légendes, les créatures symboliques s'emboîtaient les unes dans les autres.

MASQUE SOLAIRE
Ce masque bella coola était porté lors des cérémonies d'hiver. La figure centrale symbolise l'esprit du Soleil, source de vie.

MASQUE OISEAU-TONNERRE
Les Kwakiutls réalisaient parfois des masques mobiles. Lorsqu'on l'ouvre, cet oiseau laisse apparaître un visage d'homme.

Totems, masques et katchinas

Sur la côte Nord-Ouest, les Indiens sculptaient des mâts en cèdre à l'effigie des animaux, tel Ours-de-Mer, ou des créatures mythiques, comme Oiseau-Tonnerre. Ces totems se reconnaissaient facilement : Corbeau était symbolisé par une tête d'oiseau au bec droit, Aigle avait un bec arrondi. Les sculpteurs réalisaient également des masques pour les conteurs et les danseurs. Ces nouveaux visages conféraient à celui qui les portait les pouvoirs de l'esprit représenté. Les Hopis du Sud-Ouest possédaient des douzaines de masques figurant les différents esprits katchinas. Dans le Nord-Est, les membres de la société iroquoise des Visages Faux portaient de très beaux masques en bois et en crin de cheval, tandis que ceux de la société des Visages à Cosses chuchotaient leurs prédictions à travers des masques en cosses de maïs.

Poupées Katchinas

Dans le Sud-Ouest, les Zuñis et les Hopis confectionnaient des poupées en bois, vêtues de costumes et de masques identiques à ceux que portaient les danseurs. Il ne s'agissait pas de jouets. Elles servaient à apprendre aux enfants à reconnaître les différents esprits katchinas ainsi que le rôle de chacun lors des cérémonies célébrées par la tribu.

Poupée katchina zuñi

TOTEM MODERNE
Oiseau-Tonnerre, figuré en haut de ce totem, est l'emblème du sculpteur. Il indique que l'artiste est un guerrier kwakiutl.

MASQUE CHIEN DE MER
Le danseur qui portait ce masque faisait pivoter la figurine placée sur l'épine dorsale en tirant sur un fil.

MASQUE LOUTRE DE MER
En pivotant, les bras qui entourent la tête de loutre agitent les ailes en tissu des petits oiseaux.

Les grandes célébrations

Les Amérindiens organisaient souvent de grandes fêtes pour célébrer les événements marquants de leur vie, tels la puberté, le mariage ou la victoire au combat. Pour ces occasions, ils revêtaient leurs habits cérémoniels, ornés de fourrure, de plumes, de piquants et de perles. Ils se paraient aussi de colliers, de boucles d'oreilles et de bracelets faits de crocs, d'os ou de griffes d'animaux, de coquillages et de pierres. Selon leurs croyances, le ciel, la terre, les plantes, les oiseaux, les animaux et les rivières abritaient des esprits qu'ils devaient respecter. Pour communiquer avec eux, ils dansaient, chantaient, priaient et se livraient à divers rites religieux. Certaines tribus vénéraient aussi des monstres, tel le terrible Esprit-Cannibale du Nord-Ouest, dont la puissance maléfique les pénétrait lors des danses.

PIÈCE SACRÉE
Bâtie partiellement sous terre, la kiva était le sanctuaire où officiaient les prêtres katchinas du Sud-Ouest. Le sol était parsemé de farine de maïs, de sable, d'écorce pilée et de fleurs.

COSTUMES DE DANSE
Les chamans kwakiutls portaient des costumes en écorce de cèdre et des masques en bois peints représentant les amis oiseaux du terrible Esprit-Cannibale.

DANSE DE L'ESPRIT-CANNIBALE
Le chaman, une couronne d'écorce de cèdre autour du cou, se tient à gauche de la photo, derrière le groupe de danseurs aux allures effrayantes.

BIJOUX DE FAMILLE
Avant le mariage, les jeunes femmes navajos portaient des pendants d'oreilles qu'elles accrochaient ensuite à des colliers de perles, avant de les transmettre à leurs filles.

COIFFE EN PLUMES
Les costumes ornés de plumes d'aigle, comme cette coiffe de chef guerrier, revêtaient une importance particulière car l'aigle, admiré pour sa rapidité, sa férocité et sa vue perçante, incarnait un esprit divin.

Le Rite du Pollen

Pour les jeunes filles apaches, ce rite est le moment le plus marquant des quatre jours de fête qui leur sont consacrés à l'âge de la puberté. La puissante « médecine » jaune, tirée du scirpe, est recueillie dans des paniers, puis versée sur la chevelure et le visage.

Panier à pollen

Pour en savoir plus, rendez-vous à la page *Les pipes et les powwows*

DANSEUR EN RAQUETTES
Ce chasseur ojibwa se réjouit des premières chutes de neige de l'hiver. Grâce à ce manteau blanc, il lui sera plus facile d'attraper sa proie.

AIRS DE FLÛTE
Cette flûte appelée « vent-qui-insuffle-la-vie-dans-les-cœurs » accompagnait de nombreuses danses. Les six trous de l'instrument symbolisaient la terre, le ciel et les quatre points cardinaux.

PERCUSSIONS
Ce maraca se compose d'une calebasse munie d'un manche orné de perles de verre, de plumes et de tendons.

Les danses cérémonielles

Les Amérindiens dansaient pour célébrer les événements heureux, éloigner la maladie, s'assurer une chasse fructueuse ou une abondante récolte. Dans les Plaines, les Sioux imitaient le cri et les mouvements de l'ours avant de partir à la chasse et se livraient à la danse du Scalp après avoir remporté une victoire au combat. Lorsqu'ils priaient pour faire pousser les plantes sauvages, les danseurs patwins de Californie portaient d'immenses coiffes et manteaux faits de plumes ou d'herbe. Dans l'aride Sud-Ouest, les Hopis recueillaient les serpents pour la célébration d'un rite complexe. Vêtus de jupes ornées de motifs de serpent et de coiffes en plumes, les chamans faisaient le tour de la place du village en tenant un reptile dans leur bouche. Pour éviter qu'il ne morde, un compagnon caressait le reptile avec une plume d'aigle. Relâchés ensuite dans le désert, les serpents étaient supposés apporter la pluie nécessaire aux récoltes.

Les Esprits Katchinas

Ces hommes hopis incarnaient d'importants esprits, les katchinas. Ils dansaient au moment des semailles, de la pousse et de la récolte du maïs, et enseignaient aux enfants les coutumes de la tribu à l'aide de poupées.

Poupée katchina

ACCOMPAGNEMENT
Les danseurs inuits portaient des gants à la mousquetaire en peau de phoque. Les becs de macareux et les tiges de plumes qui ornent cette paire cliquetaient au rythme des tambours.

EN RYTHME
Cet instrument inuit servait à marteler le rythme durant la danse. Relié au bâton par un morceau de cartilage de baleine, l'oiseau frappait le bois, tel un vrai pivert.

Les pipes et les powwows

Les Amérindiens fumaient la pipe en des occasions très solennelles : lorsqu'ils sollicitaient l'aide des esprits pour faire la guerre, signer la paix ou faire tomber la pluie, avant de partir à la chasse ou de conclure un marché. Ces magnifiques objets nécessitaient des semaines de travail. Pour que les puissances surnaturelles se manifestent, le tuyau en bois creux et le fourneau taillé dans de la pierre à savon, de l'argile ou du bois devaient être réunis selon un rite particulier. Autrefois, on fumait la pipe lors des assemblées, ou powwows, organisées pour la guérison des malades, la victoire au combat ou la prise de gibier.

Aujourd'hui, les powwows sont des fêtes animées, qui ont lieu au moins une fois par an et à l'occasion desquelles le peuple indien renoue avec ses traditions.

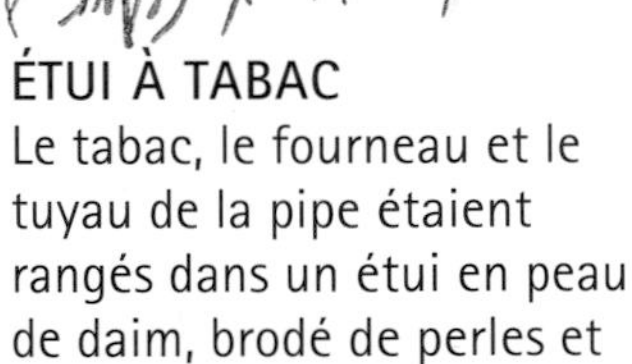

ÉTUI À TABAC
Le tabac, le fourneau et le tuyau de la pipe étaient rangés dans un étui en peau de daim, brodé de perles et de piquants.

CÉRÉMONIE DE LA PIPE
Elle était très importante, comme en témoigne cette parole sioux : « Cette pipe, c'est nous. Le tuyau est notre colonne vertébrale, le fourneau notre tête. La pierre, rouge comme notre peau, est notre sang. »

RITE DE LA PRIÈRE
Le guerrier sioux posait un crâne de bison à ses pieds, pointait sa pipe vers le ciel, puis invoquait les puissances surnaturelles.

PIPE-TOMAHAWK
Cette lame d'acier effilée, montée sur un manche incrusté, n'était pas une arme mais un objet sacré.

Le Savais-Tu ?

Le mélange de feuilles de tabac, d'écorce et autres herbes séchées et pilées portait le nom de kinnikinnick.

PIPE EN IVOIRE
Dans l'Arctique, les pipes étaient souvent en ivoire. Celle-ci a été sculptée dans une dent de morse.

PLANT DE TABAC
Le tabac était censé détenir des pouvoirs magiques capables de soigner ou de blesser, de modifier le destin, de faire venir les bons esprits et de chasser les démons.

Les Powwows

À l'origine, seuls les Indiens des Plaines tenaient ce type d'assemblée.

Aujourd'hui, elles ont lieu un peu partout au Canada et aux États-Unis, dans des gymnases, des parcs ou en pleine nature. L'été, les troupes de danse traditionnelle parcourent le pays pour animer ces fêtes colorées qui réunissent aussi des chanteurs et des artisans, et accueillent des rodéos. Les familles, les amis et les membres de la communauté locale aiment à s'y retrouver pour célébrer les coutumes indiennes.

Tambour du Nord-Ouest

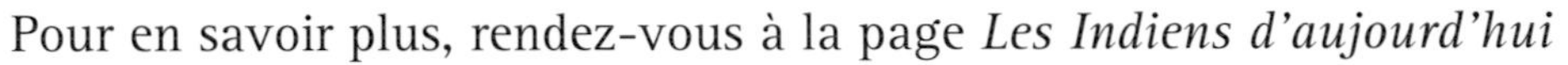

Pour en savoir plus, rendez-vous à la page *Les Indiens d'aujourd'hui*

Les guérisseurs et la médecine

Pour les Amérindiens, appeler un guérisseur n'était pas une mince affaire. Sa visite et les traitements qu'il appliquait duraient souvent plusieurs jours. Capables de soigner les malades par les plantes, de prédire l'avenir et de retrouver les objets perdus, les hommes et les femmes-médecine détenaient parfois autant de pouvoir qu'un chef de tribu. Ils connaissaient les danses, les incantations, les prières et les rites qui plaisaient aux esprits et portaient bonheur. Pour devenir chaman, les jeunes candidats devaient se soumettre à de nombreuses épreuves de force physique que peu d'entre eux réussissaient. Ils ne recevaient leurs pouvoirs qu'après avoir eu la vision d'un animal ou d'un objet sacré. En fait, les Indiens vécurent en bonne santé jusqu'à l'apparition des maladies mortelles venues d'Europe.

SAC À MÉDECINE
Cette sacoche en cuir brut appartenait autrefois à une femme sioux. Les petites bourses contenaient des feuilles, de l'écorce et des racines pilées.

LOGES À SUDATION
Sous ces huttes recouvertes de peaux, on produisait de la vapeur en versant de l'eau sur des pierres chaudes. Les guerriers s'y rendaient pour se laver et se purifier, les malades pour faire tomber leur fièvre et soulager leurs douleurs.

SERPENTS DE PRIÈRE
Croyant que les maux d'estomac étaient provoqués par les serpents, les guérisseurs navajos chassaient ces douleurs à l'aide de serpents en bois ornés de plumes.

PEINTURE SUR SABLE
Les guérisseurs navajos réalisaient, à même le sol de la maison où ils officiaient, de grandes peintures sur sable, censées absorber la maladie. Une fois le rituel terminé, ils détruisaient leur œuvre.

INSTRUMENT DE TRAVAIL
Les chamans tlingits utilisaient de nombreux hochets. La chevelure, la moustache et la barbe de celui-ci sont en vrais cheveux.

UN CHAMAN RESPECTÉ
Slow Bull, photographié ici dans les Plaines avec à ses pieds un crâne de bison sacré, était un homme-médecine très respecté chez les Sioux Oglalas.

Plantes Médicinales

Les Indiens tiraient déjà de l'écorce de saule un calmant que l'on utilise aujourd'hui dans l'aspirine. Les racines d'iris pilées avec de la graisse de rognon, du saindoux et de la cire d'abeille formaient une bonne pommade cicatrisante, tandis que le jus des racines de sabot de la Vierge soulageait douleurs, rhumes, grippes et crises de nerfs.

Iris sauvage

Sabot de la Vierge

ENNEMI TUÉ
S'il avait tué son adversaire, le guerrier sioux arborait une plume marquée d'un point rouge.

BLESSURE
Une plume teinte en rouge indiquait qu'il avait été blessé au combat.

NOMBREUX COUPS
Une plume dentelée signifiait qu'il avait tué plusieurs ennemis.

BLESSURES MULTIPLES
La plume fendue symbolisait de nombreuses blessures.

ENNEMI SCALPÉ
L'encoche signifiait que le brave avait tranché la gorge et pris le scalp de son adversaire.

GORGE TRANCHÉE
Si l'extrémité de la plume était biseautée, le brave avait égorgé son adversaire, sans le scalper.

GRAND GUERRIER
Hautement respectés, les valeureux guerriers avaient le droit de porter de somptueux costumes de cérémonie.

• UN MONDE BOULEVERSÉ •

L'art de la guerre

Si certaines tribus haïssaient la guerre, la plupart des Amérindiens livraient constamment bataille, par esprit de conquête, de vengeance ou simplement pour le prestige. Parfois ils gardaient leurs prisonniers ; ou bien ils les torturaient ou les scalpaient. La tactique la plus répandue consistait à prendre l'ennemi par surprise. Dans le Sud-Est, les braves, vêtus de simples pagnes et de mocassins, se déplaçaient en file indienne, marchant dans les traces de l'éclaireur. Pour masquer leurs empreintes, les Chickasaws s'attachaient des pattes d'ours aux pieds. Les guerriers du Nord-Est traquaient l'ennemi dans les bois, communiquant par des cris d'animaux, ou s'affrontaient en canoë sur les Grands Lacs. Dans les Plaines, le combat au corps à corps était considéré comme l'acte de bravoure suprême et chaque « coup » porté à l'ennemi valait au guerrier d'ajouter une nouvelle plume d'aigle à sa parure de guerre.

BOUCLIERS
Très prisés, les boucliers en peau de bison étaient souvent ornés de motifs symboliques, de peau de daim, de grelots et de plumes.

TROPHÉES DE GUERRE

Dans certaines tribus, le scalp d'un ennemi valait les plus grands honneurs à celui qui l'avait pris. Pensant qu'il renfermait son âme, le guerrier vainqueur croyait pouvoir ainsi recueillir et bénéficier de la force spirituelle du mort. Après la victoire, certains peuples dansaient toute la nuit autour de ces trophées, conservés sur un cerceau en bois fixé à un bâton. Pour d'autres tribus, il était toutefois plus important de marquer un « coup » ou de capturer les chevaux de l'adversaire.

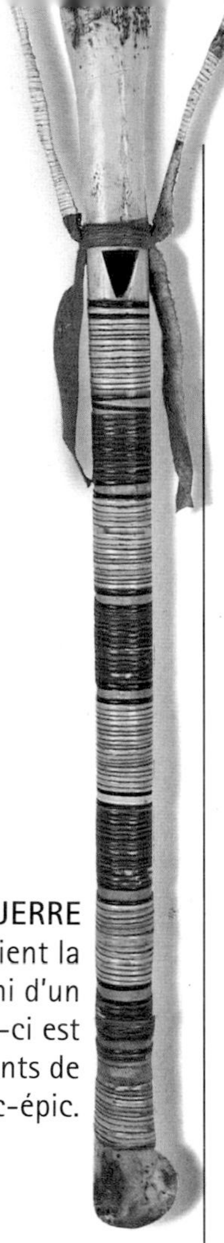

SIFFLET DE GUERRE
Les Mandans signalaient la présence de l'ennemi d'un coup de sifflet. Celui-ci est en bois orné de piquants de porc-épic.

ARCS ET FLÈCHES
Les guerriers transportaient arcs et flèches dans des carquois en cuir tanné.

L'arrivée des étrangers

En 1492 les navires de Christophe Colomb accostèrent dans les Caraïbes. Les indigènes crurent qu'ils étaient envoyés par les puissances divines. Dès lors, les aventuriers de l'« Ancien Monde » se lancèrent à la conquête du « Nouveau Monde ». Espagnols, Anglais, Français et Russes vinrent y chercher des terres, des minéraux et des fourrures. Certains tentèrent de convertir les Indiens à leur religion, d'autres les réduisirent en esclavage. L'Europe découvrit de nouveaux aliments : chocolat, tournesol, maïs et arachides, échangés contre des fusils, des chevaux, des outils métalliques et du whisky. Mais les Indiens, qui avaient l'habitude de partager en évitant le gaspillage, ne comprenaient pas ces colons blancs qui leur prenaient souvent leurs terres de force et abattaient des milliers de bisons par simple plaisir ou par soif de l'argent. Un vieil homme désespéré déclarait : « Lorsque les bisons ont disparu, le cœur de mon peuple a sombré, et il ne s'est jamais relevé. »

LES MISSIONNAIRES CHRÉTIENS
Les Espagnols imposèrent à la fois la religion catholique et les travaux collectifs dans le Sud-Ouest et en Californie. De nombreux Indiens succombèrent aux mauvais traitements et aux maladies nouvelles.

RENCONTRE DE DEUX CULTURES
Les conquistadores découvrirent les tribus du Sud-Est au XVIe siècle. Ils déclarèrent avoir trouvé une région bonne pour le blé, la vigne et l'élevage.

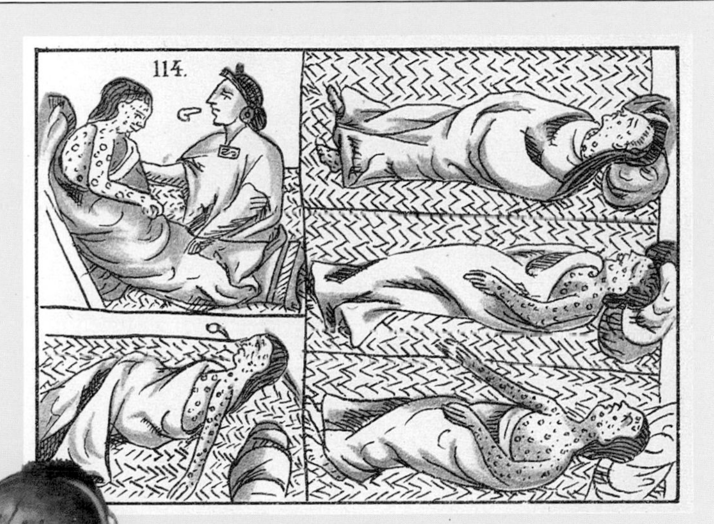

Maladies Mortelles

Menant une vie saine au grand air, la plupart des Indiens étaient en bonne santé. Mais la variole, la rougeole, le typhus, les oreillons, la varicelle, la tuberculose, la grippe et le choléra firent des milliers de victimes, car les organismes ne résistaient pas aux maladies infectieuses venues d'Europe.

SYMBOLES CHRÉTIENS
Les Indiens convertis au christianisme étaient souvent enterrés avec des croix et autres insignes religieux.

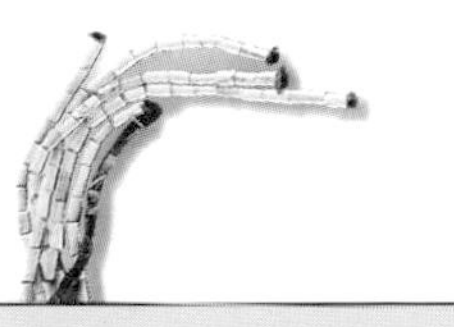

VESTIGES DU PASSÉ
Les pièces, médailles et autres petits objets métalliques retrouvés par les archéologues témoignent de la vie des colons espagnols au XVIe siècle.

Le Savais-Tu ?

Les marchands européens troquaient de simples perles, les wampum, contre de magnifiques fourrures de loutre de mer.

TICKETS DE RATIONNEMENT
Les agents du gouvernement approvisionnaient les réserves en viande, farine et autres aliments, mais ces vivres suffisaient rarement.

• UN MONDE BOULEVERSÉ •

La vie dans les réserves

Dès qu'ils commencèrent à coloniser l'Amérique, les Européens disputèrent âprement leur territoire aux indigènes. En 1830, le président Jackson édicta une loi autorisant la création de réserves à l'Ouest. En contrepartie, les Indiens durent abandonner leurs terres, convoitées par les nouveaux colons, sans qu'ils aient eu la possibilité de se défendre devant les tribunaux. Les luttes qui s'ensuivirent firent de nombreuses victimes, tant indiennes que blanches. Les tribus du Sud-Est furent contraintes de suivre la « piste des larmes » qui menait vers l'Ouest. Certaines familles arrivèrent sans nourriture, ni mulet, ni charrue, ni matériaux de construction. Des milliers d'Indiens périrent de faim et de misère. Dans les écoles des réserves, les enfants durent apprendre les coutumes blanches, mais leurs parents et leurs grands-parents continuèrent à leur transmettre les traditions de leurs ancêtres.

PROMESSES GOUVERNEMENTALES
Dans cette lettre datée de 1838, le gouvernement accordait une réserve aux Cherokees, tout en conservant le droit d'y construire des routes et des forts.

LA PISTE DES LARMES
Des 16 000 Cherokees que les soldats américains, les Tuniques Bleues, escortèrent le long de « la piste des larmes » 2 000 périrent en chemin et 2 000 autres décédèrent peu après leur arrivée.

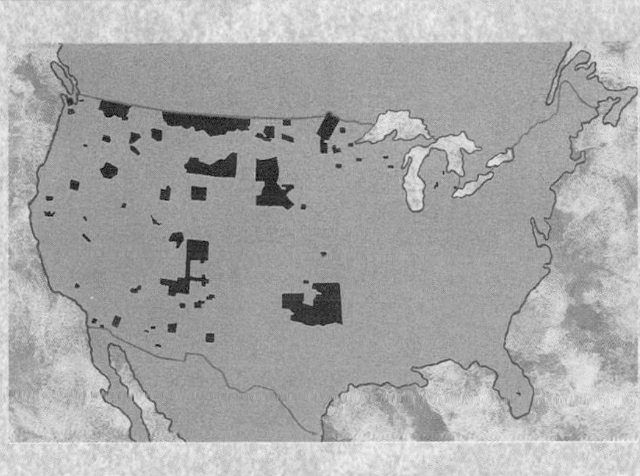

Répartition des Réserves

Les zones sombres correspondent aux réserves créées à l'Ouest par le gouvernement des États-Unis. Ces étroits territoires étaient souvent peu fertiles et de rudes conditions climatiques y régnaient. N'ayant jamais cultivé la terre, certaines tribus souffraient de terribles privations. Dans l'impossibilité de chasser ou de se déplacer librement, les Indiens s'y sentaient comme des prisonniers.

CRAYONS DE COULEUR
Ne sachant souvent pas écrire, les commerçants indiens des réserves dessinaient les produits dont ils disposaient à l'aide de crayons de couleur.

LEÇONS DE COUTURE
Dans les écoles des réserves, les enfants portaient un uniforme et apprenaient à lire et à écrire en anglais. Les filles se servaient de machines à coudre pour confectionner des vêtements de style européen.

POTERIE
Les potiers zuñis et pueblos façonnent toujours l'argile selon la méthode traditionnelle. Pour la décoration, ils appliquent des poudres de roches avec une feuille de yucca mâchée.

L'art et l'artisanat

MOCASSINS MODERNES
Si la broderie perlée est un art très ancien, certains motifs actuels évoquent aussi le monde moderne.

Outre les parures de cérémonie et les objets sacrés somptueusement décorés, les Amérindiens fabriquaient des ustensiles à la fois pratiques et esthétiques. Les motifs symboliques utilisés dans la peinture, la sculpture et la broderie illustraient toutes sortes de légendes liées aux esprits. L'art de la vannerie, de la poterie et du tissage se transmettait de génération en génération. Initiés à l'orfèvrerie par les Mexicains dans les années 1850, les Navajos enseignèrent à leur tour le travail du métal aux Hopis et aux Zuñis. Aujourd'hui, de nombreux artistes et artisans utilisent des matériaux et des outils modernes. Mêlant idées nouvelles et décors traditionnels, leurs œuvres sont souvent richement colorées. L'art et l'artisanat indiens sont désormais célèbres dans le monde entier.

BIJOUX
Pour les tribus du Sud-Ouest, la turquoise symbolise bonheur, santé et prospérité.

BOL À FÉTICHES
Les peuples du Sud-Ouest collectionnaient les objets porte-bonheur. Ils les conservaient dans des bols ornés de turquoise pilée et de talismans.

KATCHINA MINIATURE
Certains artistes zuñis et hopis fabriquent des poupées katchinas pour les vendre. Celle-ci porte un masque à plume et tient un hochet dans sa main droite.

Tisserands du Sud-Ouest

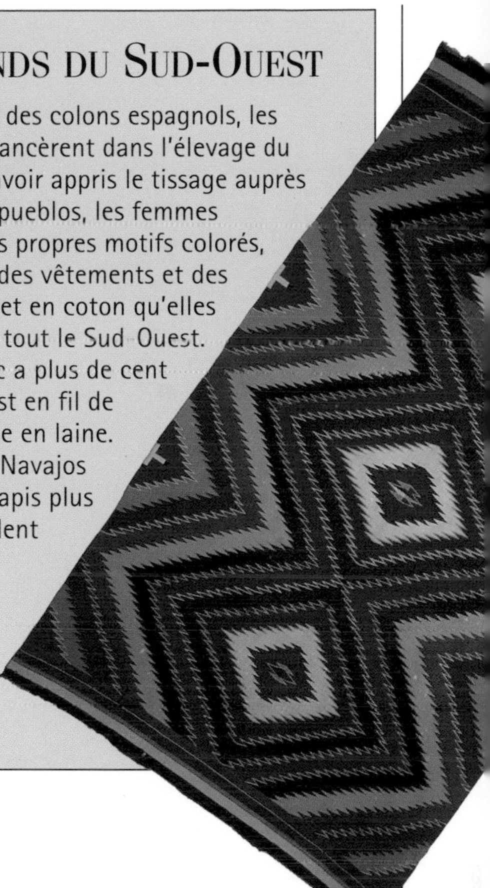

Avec l'arrivée des colons espagnols, les Navajos se lancèrent dans l'élevage du mouton. Après avoir appris le tissage auprès de leurs voisins pueblos, les femmes élaborèrent leurs propres motifs colorés, confectionnant des vêtements et des étoffes en laine et en coton qu'elles troquaient dans tout le Sud-Ouest. Cette couverture a plus de cent ans. La chaîne est en fil de coton et la trame en laine. Aujourd'hui, les Navajos fabriquent des tapis plus épais qu'ils vendent aux touristes.

TRAVAIL DE L'ARGENT
Les orfèvres navajos réalisent de magnifiques ceintures en argent fin. Ici, les motifs de coquillages ovales alternent avec des papillons stylisés sertis de turquoises.

FIGURINE EN TERRE
Cette statuette contemporaine, intitulée « Cousin San Luis d'Oncle Fidel », est l'œuvre de Nora Naranjo-Morse, une artiste pueblo.

Le Savais-Tu ?

Les Zuñis croyaient que les objets, comme les pierres, dont la forme naturelle ressemblait à un animal ou une plante abritaient des esprits. Aujourd'hui ces fétiches sont parfois sculptés.

Pour en savoir plus, rendez-vous à la page *Totems, masques et katchinas*

Les Indiens d'aujourd'hui

L'arrivée des Européens en Amérique a entraîné de terribles bouleversements pour la population amérindienne. De nombreuses tribus ont été décimées, certaines ont même totalement disparu. Aujourd'hui, la natalité reprend et les gouvernements américain et canadien commencent à considérer les Indiens comme des citoyens à part entière. Plus de la moitié d'entre eux vivent désormais en dehors des réserves. Ils essaient de s'intégrer tout en préservant leurs rites religieux, leurs coutumes et leurs langues. Les écoliers cherokees suivent des cours pour apprendre le dialecte et les traditions de leur peuple. Lors des powwows, les jeunes enfants, en costume traditionnel et le visage peint, dansent au rythme des tambours.

BÂTONNETS DE JEU
Les Indiens apprécient toujours autant les traditionnels jeux de hasard.

CHAMBRES CÉRÉMONIELLES
Les Pueblos se réunissent toujours dans les kivas pour débattre des affaires locales, former les jeunes et prier.

MONTAGNE SACRÉE ZUÑI
Les Indiens se rendent rituellement sur les terres de leurs ancêtres pour y consulter les esprits. Dans ces espaces sacrés, qu'il convient de laisser intacts, les plantes, les sentiers, les tumulus et les rochers ont tous une signification religieuse.

COLLIER DE MOSAÏQUE
Ce collier zuñi moderne, en argent incrusté de pierres semi-précieuses et de coquillages, représente le dieu Arc-en-ciel.

PANIERS HOPI
Les techniques de vannerie hopi n'ont pas changé depuis des siècles.

La Terre des Ancêtres

1850

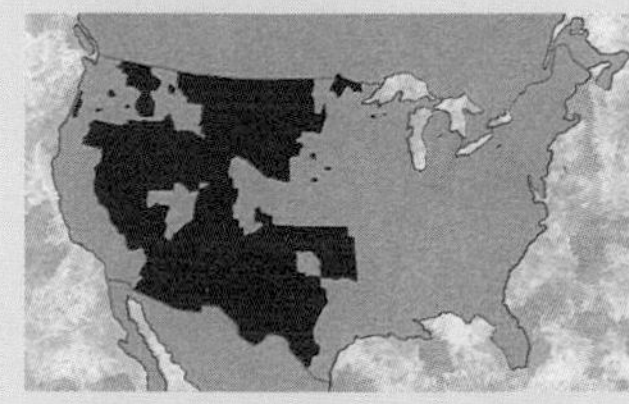

1865

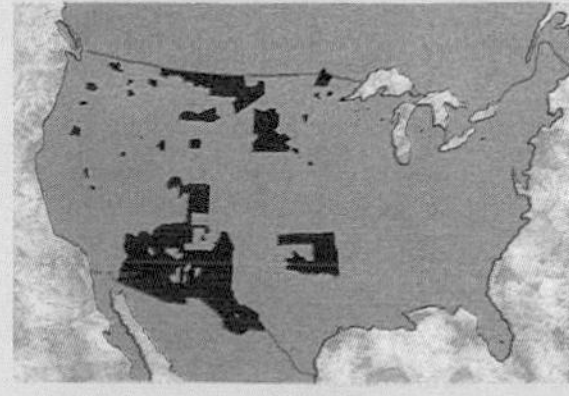

1880

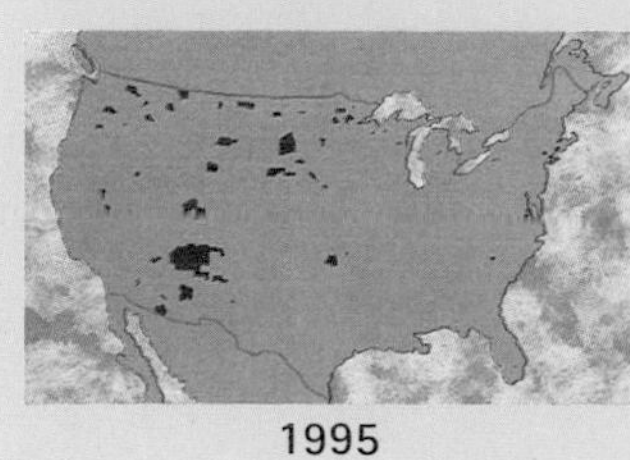

1995

Sur ces cartes, les zones claires indiquent l'immense territoire que les Indiens ont dû céder aux Blancs au cours du XIXe et du XXe siècle. Certaines de ces terres leur ont été achetées ou échangées, d'autres ont fait l'objet de traités, mais beaucoup ont été adjugées à des colons sans leur consentement, quand elles ne leur ont pas été tout simplement volées. C'est pourquoi de nombreux Indiens revendiquent aujourd'hui les biens de leurs ancêtres.

Pourquoi est-il important pour un peuple de préserver son passé ?

Personnages et événements marquants

Autrefois, les Amérindiens transmettaient l'histoire de leur peuple à leurs enfants par voie orale. Avec l'arrivée des Européens, ils découvrirent l'écriture, qui leur permit de conserver une trace plus durable de leurs traditions. Certains manuscrits font ainsi le récit des exploits des chefs qui luttèrent contre les pionniers pour défendre leurs terres. D'autres Indiens, dont certains sont présentés ici, ont également fait leur entrée dans les livres d'histoire.

Sequoyah
Né vers 1773 d'une mère cherokee et d'un père anglais, Sequoyah mourut en 1843. Persuadé que les Blancs devaient leur puissance au fait de savoir lire et écrire, il inventa un alphabet permettant de transcrire les 86 syllabes que comportait le dialecte cherokee.

Geronimo
Ce chef apache naquit en 1829. À l'origine, on l'appelait Golthlay, « Celui-qui-bâille ». Lorsque sa famille fut massacrée par les troupes mexicaines, il devint un féroce guerrier, redouté par les soldats mexicains et américains. Il finit par se rendre et, en 1905, défila devant le président Theodore Roosevelt à Washington. Il mourut en 1909.

Sitting Bull
Chaman respecté, ce chef sioux dirigea une coalition de guerriers indiens lors de la célèbre bataille de la Little Big Horn. Plus tard, après avoir fait retraite au Canada avec son peuple, il se rendit aux Tuniques Bleues et fut abattu par la police, dans sa réserve, en 1890.

Red Cloud
Ce chef sioux oglala marqua 80 « coups » contre l'ennemi au cours de sa vie et obtint pour son peuple de conserver une partie des Grandes Plaines. En 1870, il déclarait aux représentants du gouvernement : « Tandis que notre nation fond comme la neige sur les collines ensoleillées, votre peuple grandit telle l'herbe de la prairie au printemps. »

La dernière bataille de Custer
En 1868, George Armstrong Custer et ses Tuniques Bleues massacrèrent les femmes et les enfants d'un village sioux sans défense. Le 25 juin 1876, les guerriers sioux et cheyennes prirent leur revanche lors de la bataille de la Little Big Horn. La mort de Custer signa la dernière grande victoire des Indiens des Plaines.

La bataille de Wounded Knee
En 1890, l'armée américaine lança une attaque contre les villageois sans défense de Wounded Knee. Environ 200 Sioux furent massacrés, 100 autres moururent de froid après s'être réfugiés dans les collines.

Codes secrets
Durant la Seconde Guerre mondiale, l'armée américaine utilisa les langues indiennes pour transmettre des messages codés. Ainsi, en navajo, « poisson de fer » désignait un sous-marin, « sarbacane rapide » une mitraillette.

N. Scott Momaday
Cet écrivain amérindien reçut le prix Pulitzer en 1969 pour son roman *La Maison de l'aube,* qui évoque la vie des Indiens aux temps modernes.

Le siège de Wounded Knee
En 1973, un groupe armé du Mouvement indien américain occupa le village symbole de Wounded Knee afin d'obtenir du gouvernement des mesures améliorant la condition indienne. Après 71 jours de siège, les négociateurs obtinrent sa reddition

Les Amérindiens se répartissaient en différents groupes ethniques dispersés dans les régions que couvrent actuellement le Groenland, le Canada et l'Amérique du Nord. Les Sioux qui peuplaient les Grandes Plaines étaient aussi différents des Tlingits de la côte Nord-Ouest que les Suédois se distinguent aujourd'hui des Espagnols.

Chaque tribu avait son propre mode de vie, sa propre langue, ses propres coutumes religieuses et ses propres lois. Le rôle des hommes et des femmes variait sensiblement d'une communauté à l'autre. Il est toutefois impossible de les mentionner toutes dans ce livre. Cette carte illustre leur répartition géographique en indiquant un type d'habitat pour chaque région.

Glossaire

Masque Oiseau-Tonnerre

Chausses inuits

Carte à jouer en cuir brut

Lunettes de protection inuits

Sacoche de selle

Adobe Mélange de boue séchée et de brindilles servant de mortier dans les constructions pueblos du Sud-Ouest.

Ancien Monde Seule partie du monde que connaissaient les Européens avant la découverte du Canada et des Amériques, c'est-à-dire l'Europe, l'Asie et l'Afrique.

Archéologue Spécialiste qui étudie les civilisations anciennes à travers leurs vestiges : ossements, outils, ruines architecturales, vêtements et bijoux.

Banc de nage Traverse fixée à l'intérieur d'une embarcation pour écarter la coque et servir de siège aux rameurs.

Calebasse Fruit d'une variété de courge qui, vidé et séché, servait de récipient ou de hochet.

Chaman Homme/femme-médecine doté de pouvoirs permettant de communiquer avec les esprits et de guérir les malades.

Chickee Hutte au toit en feuilles de palmier, montée sur pilotis, utilisée dans les régions marécageuses du Sud-Est.

Cierge géant (ou saguaro) Immense cactus du désert produisant des fruits rouges sucrés.

Clan Groupe de personnes liées par des ancêtres communs ou par le mariage.

Corbeau Esprit vénéré par les Amérindiens.

« Coup » Les guerriers des Plaines marquaient un « coup » lorsqu'ils parvenaient, au cours du combat, à toucher leur ennemi avec la main, une arme ou un bâton, le blessant ou le tuant.

Coyote Esprit loup espiègle qui adorait jouer des tours.

Dentale Mollusque marin dont la longue coquille en tube arqué est utilisée dans la fabrication des bijoux.

Emblème Image ou symbole décoratif ayant une signification particulière.

Eskimos (voir Inuits) Habitants de l'Arctique. Bien que leur nom signifie « mangeur de viande crue », ils faisaient cuire une partie de leur repas.

Esprit-Cannibale Esprit funeste vénéré par les Kwakiutls de la côte Nord-Ouest.

Femme-Ciel Personnage du mythe iroquois de la Création.

Fétiches Objets naturels présentant une forme inhabituelle : pierres, épis de maïs parfaits ou coquillages. Dans le Sud-Ouest, les Indiens croyaient qu'ils renfermaient des esprits d'animaux ou de plantes qui leur conféraient des pouvoirs surnaturels.

Foret à archet Outil de sculpteur.

Gant à la mousquetaire Gant muni d'une longue manchette.

Harpon Long manche de bois, relié à une ligne, se terminant par un fer. Lorsque le cétacé est harponné, le fer se plante dans la chair de l'animal. Sa fuite est ralentie par un flotteur attaché à la ligne.

Hermine Mammifère voisin de la belette dont la fourrure, blanche à queue noire l'hiver, décorait les vêtements de cérémonie.

Hogan Habitation navajo en bois, couverte d'écorce et de terre.

Homme/femme-médecine Chaman doté de pouvoirs particuliers lui permettant de communiquer avec les esprits et de guérir les malades.

Husky Race de chien. Seul animal domestique des Inuits (Eskimos).

Igloo Abri pour l'hiver construit avec des blocs de glace par certaines tribus de l'Arctique.

Inuits (voir Eskimos) Les tribus de l'Arctique préfèrent ce nom qui signifie « peuple » dans leur langue.

Katchinas Esprits vénérés par les tribus du Sud-Ouest. Durant six mois de l'année, ils vivaient dans le Monde en dessous et sortaient de terre entre le solstice d'hiver et le solstice d'été. Poupées hopis symbolisant ces esprits.

Kiva Lieu de culte et chambre du conseil, elle est partiellement construite sous terre.

Loge à sudation Hutte hermétique remplie de vapeur ; équivalent amérindien du sauna.

Macareux Variété de pingouin au bec coloré. Les tribus de l'Arctique les mangeaient et utilisaient leur bec et leurs plumes en guise d'ornements.

Mammouth laineux Grand mammifère poilu qui, comme l'éléphant, possédait une trompe et des défenses. Il disparut à la fin de la période glaciaire.

Mano Petite pierre servant à écraser les grains de maïs.

Massette Plante vivant dans les lieux humides. De nombreux Indiens en mangeaient le pollen et les racines.

Métate Bloc de grès sur lequel on écrase les grains de maïs.

Migration Déplacement de populations ou d'animaux passant d'une région ou d'un pays à un autre.

Mythologie Ensemble des légendes que les Amérindiens se transmettaient de génération en génération par voie orale.

Nouveau Monde Terme que les Européens utilisaient pour désigner le Canada et les deux Amériques.

Objet sacré Objet, tel le crâne d'un bison, utilisé lors des cérémonies religieuses.

Oiseau-Tonnerre Esprit vénéré par les tribus de la côte Nord-Ouest.

Oumiak Canot en os de baleine recouvert de peau de morse et enduit d'huile de phoque. Muni d'une seule voile, il était utilisé par les Inuits pour la chasse à la baleine.

Ours-de-Mer Créature imaginaire représentée sur les masques et les totems.

Pagne Morceau d'étoffe ou de peau passée entre les jambes et retenue par une ceinture. Ce vêtement était particulièrement répandu dans les régions chaudes.

Parflèche Sacoche de selle en cuir brut ayant la forme d'une enveloppe.

Période glaciaire Période durant laquelle une vaste partie de la Terre était recouverte par les glaciers.

Pollen de scirpe Petits grains jaunes poudreux produits par les fleurs de massette.

Porc-épic Animal couvert de longs piquants que les Indiennes assouplissaient et teignaient pour les utiliser dans la broderie.

Poupe Arrière d'un bateau.

Proue Avant d'un bateau.

Quête de la Vision Expédition menée en solitaire pour entrer en contact avec les esprits. Les garçons entreprenaient leur première quête à la puberté afin de tester leur courage. Ils s'isolaient parfois des jours entiers sans nourriture.

Résine Produit collant et visqueux sécrété par certains végétaux.

Rituel Ensemble des règles concernant les danses cérémonielles et les cérémonies religieuses.

Saguaro Voir Cierge géant.

Scirpe Variété de jonc que l'on trouve près des lacs et des marais du Sud-Ouest américain.

Stéatite (pierre à savon) Variété de pierre tendre facile à tailler et à sculpter.

Surnaturel Qui appartient au monde des esprits.

Symbole Figure décorative, ayant une signification particulière, utilisée dans les peintures et les sculptures.

Tannage Préparation permettant de transformer la peau en cuir.

Tendon Fibre animale que les Indiens utilisaient en guise de fil à coudre.

Toundra Grande plaine dépourvue d'arbres, située entre les glaces de l'Arctique et les premières régions boisées d'Amérique du Nord et d'Eurasie.

Tourillon Pivot permettant d'éviter qu'un attelage ne s'emmêle.

Travois Plate-forme destinée au transport des bagages, formée de deux perches supportant un filet de cordes et attelée au dos d'un cheval ou d'un chien.

Vision Expérience religieuse permettant de communiquer avec les esprits.

Wampum Perles tubulaires blanches et violettes confectionnées à partir de coquillages que les Indiens s'offraient lors des cérémonies. Elles servirent de monnaie d'échange avec les Européens.

Wigwam Abri des tribus du Nord-Est et des Grands Lacs, formé de quatre jeunes arbres attachés ensemble et recouverts de longues bandes d'écorce cousues.

Yucca Plante dont la tige mâchonnée formait un excellent pinceau.

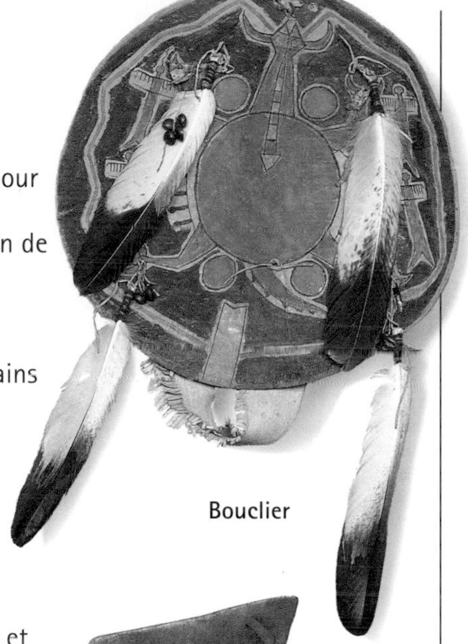

Bouclier

Calibre à filets

Panier apache

Ornements de tipi

Couverture navajo

Index

Crédits photographiques

(h=haut, b=bas, g=gauche, d=droite, c=centre, i=icône, C=couverture, D=dos, F=fond)
Ad-Libitum, Stuart Bowey, 4h, 7i, 24i, 25d, 26i, 26g, 26h, 26/31c, 31d, 28i, 32i, 34i. American Museum of Natural History, 5bd, 32hg (# 3180[2]), 8bd (E. Curtis, #32999), 11h (A. Anik, #3563[2]), 12d (J. Beckett, #4633[3]), 12hd (J. Beckett, #4634[3]), 13d (D. Finnin/C. Chesek, #4632[2]), 21cd (D. Eiler, #4962[2]), 37d (#330387), 44g (C. Chesek, #4394[3]), 40h (L. Gardiner, #4597[3]), 40c, 62h, (L. Gardiner, #4596[2]), 41c (S. S. Myers, #3837[3]), 41b (L. Gardiner, #4588[2]), 40d (L. Gardiner, #4595[2]), 47hg (#335500), 48g (E. Mortenson, #4730[2]), 49d (#19855), 53hd (C. Chesek/J. Beckett, #4051[4]), 51bd (E. Mortenson, #4724[2]). Arizona State Museum, 43b (H. Teiwes). Australian Museum, 19cd (H. Pinelli), 21h (K. Lowe, #E.12665), 41d (H. Pinelli, # E.81968). Australian Picture Library/Bettmann Archive, 60hd et bd (UPI). The Bettmann Archive, 38g. Boltin Picture Library, 4 bd, 4c, 7d, 11i, 18bg, 18i, 20i, 22i, 25cd, 33i, 35 cd. The Brooklyn Museum, Museum Collection Fund, 1c, 44h (Museum Expedition 1911), 8b (1905 Expedition Report, Culin Archival Collection), 15b (Museum Expedition 1905), 41hd (Museum Expedition 1907), 43c (Museum Expedition 1903), 48bd (Museum Expedition 1903), 57h (Museum Expedition 1903). Buffalo Bill Historical Centre, Cody, WY, 22hg, 23d, 23bg, 28g (Don de M. et Mme I. H. Larry Larom), 22hd, 38h, 63bc, (Don de Anne Black). Thomas Burke Memorial Washington State Museum, Eduardo Calderon, 33h, 63ch, (#2-3845), 33d (#222b), 5cg, 40i, 42i, 43i, 44i, 46i, 48i, 57i (#2.5E1605). Cherokee National Museum, Tahlequah, OK, 54bg. Chief Plenty Coups State Park Museum, Pryor, MT, 55d (in « The American Indians : The Mighty Chieftains », Michael Crummet). Daniel J. Cox & Assiociates, 49bd, 49b. Denver Art Museum, 17d. Detroit Institute of Arts, Founders Society, Flint Ink Corporation, 22g, 46d, 47h. C. M. Dixon, 14b. Florida Division of Historical Resources, 53c. Four Winds Gallery, 56bg, 56/57c, 57bd, 56bd (Stuart Bowey). Mark E. Gibson, 47cd. Grant Heilman Photography, 47cg (J. Colwell). Fred Hirschmann, 8bg. Jerry Jacka, 5hg, 15c, 23i, 31c, 35d, 47i, 50i, 52i, 54i, 56i, 58i, 59hg, 59hc, 63c (Heard Museum), 59c, 58bd. Joslyn Art Museum, Omaha, NE, 30d (Enron Art Foundation). Justin Kerr, 6g. Library of Congress, 8h, 9hc, 17h. Linden Museum, Stuttgart, 51h, 51hd (U. Didoni). Lowe Art Museum, University of Miami, 57d, 63b, (Don de A. I. Barton, #57.158.000). Minnesota Historical Society, 31d, 31hd (P. Latner). Robert & Linda Mitchell, 25d. Museum of New Mexico, 15b (C. N. Werntz, #37543), 26hg (J. L. Nusbaum, #43170), 31hd (H. F. Robinson, #21618), 45hd (T. Harmon Parkhurst, #3895). National Anthropological Archives/Smithsonian Institution, 8c (#1564), 53bd (#93-2051), 12g (#30951-B), 12g (#3696-E-182-B), 13d (#45217C), 18g (#81-13423), 19d (#75-14718), 21d (#10455-A-1), 24h (#75-14715), 33d (#10455-L-1), 31bd (#1821-A-2), 48bg (#53401-A), 50h (#3409-A), 55b (#53372-B), 60hcd (#76-7905). National Archives, Washington D. C., 60bg, 60hcg, 60bc. National Geographic Society, 36hd (R. Madden), 52bg, 52hg et 53d (B. Ballenberg). National Museum of the American Indian/Smithsonian Institution, 16hg, 62c, (#6/4597), 5hg, 9i, 21i, 35i, 36i, 37i, 38i, 43i (#12/8411), 32h (#35421), 50bd, 63h, (#22/8539), 56hg (#2268). National Museum of Natural History/Smithsonian Institution, 9cd (#517B), 9b (#53887), 10c, 62bc, (#81-4283), 17d (#81-11343), 4hd, 5hd, 6hd, 7d, 16bg, 17c, 19c, 19h et 49hd (Arctic Studies Centre, W. Fitzhugh). New York Public Library, Astor, Lenox & Tilden Foundations, 8g, 15h, 33hd, 35bd. John Oram, 37bd. Jack Parsons, 47bd. Peabody Essex Museum, Salem, MA, 47d. Peabody Museum, Harvard University, H. Burger, 4hg, 6i, 8i, 10i, 12i, 14i, 16i, 15g, 19d, 23c, 33bd, 39b, 62b. Philadelphia Museum of Art, 60hg, artistes . Lehman et Duval, dons de Melle William Adgar. Phoebe Hearst Museum of Anthropology, University of CA, 20g. Photo Researchers, Inc., 9hd (J. Lepore), 25d (C. Ott), 25d (A. G. Grant), 25bd (T. & P. Leeson). Provincial Museum of Alberta, 9c (Provincial Archives of Alberta), 30h (Ethnology Program, #H67.251.19). Rosamond Purcell, 6hd, 7d, 54h. John Running, 23hd, 45h, 56g, 58g, 58d. San Diego Museum of Man, 8c, 14d, 14h, 20bd, 43h (E. S. Curtis). Tom Till, 42, 52cg. Stephen Trimble, 47b, 57bg, 59d. Turner Publishing, Inc., 7hg (Arnold Jacobs). The University Museum, University of Pennsylvania, 45d (#T4.367c3), 45bd (#T4.369c2). P. K. Weis, 43bd. Werner Forman Archive, 21bd, 62hc (W. Channing), 43hd (British Museum).

Illustrations

Helen Halliday, 10c, 11hd, 27hg, 29hd, 34g, 35hd. Adam Hook, 9bd, 23bd, 36bg, 37hd, 39hd, 44hg. Richard Hook, C, 6-7, 12-13, 22-23, 32-33, 34c, 38-39, 44-45, 46-47, 50-51, 52-53. Keith Howland, 54-55. Janet Jones, 12g, 42-43. David Kirchner, 20-21. Mike Lamble, 10bg, 36-37. Connell Lee, 27-30. Peter Mennim, 5bd, 14-15, 24-25, 33hd. Paul Newton, 16-17. Steve Trevaskis, 2-3, 4, 7bd, 8-9, 11bd, 18-19, 40, 48-49, 55hg, 59bd, 61.

Couverture

Ad-Libitum, DChg (S. Bowey). American Museum of Natural History, Chd (A. Anik #3563[2]). The Brooklyn Museum, Museum Collection Fund, DCb (Museum Expedition 1903). Thomas Burke Memorial, Washington State Museum, Eduardo Calderon, Cc (#2.5E 1605). Four Winds Gallery, Cg (S. Bowey). Richard Hook, C igg. Lowe Art Museum, Fg (University of Miami, don de A. I. Barton, 57.161.000). Peabody Museum, Harvard University, Cd (H. Burger).